AMUSE-GUEULE

AMUSE-GUEULE

Vicki Liley

soline
éditions

Sommaire

Introduction

Le moment des apéritifs et hors-d'œuvre est l'instant privilégié d'une réunion entre amis. Légers, appétissants et goûteux à souhait, ils se grignotent accompagnés de boissons. Mais vous auriez tort de vous cantonner à ces occasions pour vous régaler de ces délicieuses bouchées. Dégustez-les au petit déjeuner, comme en-cas à la mi-journée, ou encore en guise de souper, ou garnissez-en votre panier de pique-nique pour les servir lors d'un barbecue improvisé. Ces alléchants amuse-gueule, bienvenus à tout moment et en toute occasion, rendent mémorables et attrayants ces instants passés en bonne compagnie.

Lorsque vous projetez de réunir des amis, sachez que ces derniers apprécieront, en hiver, les mets chauds et consistants, alors qu'au cœur de l'été ils seront ravis de déguster de frais et légers hors-d'œuvre. Prévoyez quatre à six portions de la taille d'une bouchée par convive, à multiplier par le nombre approximatif d'heures que durera votre réception. Il vous est également possible de présenter de plus grosses portions en moindre quantité. N'oubliez pas de prévoir et réserver quelques parts supplémentaires afin de contenter les gros appétits.

Les mets les plus simples, confectionnés avec des produits de saison, sont toujours les plus appréciés. Une bonne quantité de quatre ou cinq différents hors-d'œuvre, joliment présentés sur des plateaux, feront beaucoup d'effet sans toutefois dépasser votre budget. Jouez des contrastes en opposant le moelleux et le croustillant, le rugueux et l'onctueux, sans oublier de varier les saveurs et les couleurs. Amandes salées épicées, olives vertes piquantes, manchons de poulet, crostini au chorizo – autant de recettes délicieuses proposées ici qui combinent admirablement textures, saveurs et couleurs.

Grâce à ce livre, vous vous sentirez parfaitement à l'aise pour recevoir vos hôtes auxquels vous pourrez offrir toute une gamme de plats inspirés des cuisines du monde entier. Du choix de la recette aux petits trucs de sa confection, vous découvrirez tout ce qu'il vous faut savoir pour garantir le succès de votre réception. Bonne cuisine !

Techniques étape par étape

Friselis de zestes de citron et de citron vert

1. Décorez et parfumez vos mets préférés avec des zestes d'agrumes : en appuyant fermement sur le zesteur, grattez l'écorce des citrons, citrons verts, oranges et pamplemousses. Si vous ne possédez pas de zesteur, utilisez un couteau éplucheur.

2. Retirez tout résidu de peau blanche adhérant aux zestes.

3. À l'aide d'un couteau bien affûté, découpez le zeste en fines lanières. Déposez-les dans un bol d'eau glacée et laissez au réfrigérateur 15 minutes environ pour obtenir des friselis. (Cette étape n'est généralement pas nécessaire lorsque l'écorce est prélevée à l'aide d'un zesteur.)

Décors : pinceaux et friselis de ciboule

1. Sectionnez l'extrémité racinée de chaque brin de ciboule. Découpez la partie vert pâle en tronçons de 5 cm. Les feuilles vert foncé doivent être jetées ou réservées à un autre usage.

2. Confection des pinceaux : Effrangez les extrémités de chaque tronçon sur 0,5 cm.

3. Confection des friselis : Découpez chaque tronçon en fines et longues lanières.

4. Mettez les lanières dans un bol d'eau glacée. Laissez-les prendre forme 15 min au réfrigérateur, Après égouttage, décorez et parfumez-en vos recettes.

Fonds de tartelettes (voir page 48)

1. Retirez au couteau denté la croûte de chacune des tranches de pain de mie. Aplatissez-les au rouleau à pâtisserie.

2. Découpez des ronds de 5 cm de diamètre à l'emporte-pièce.

3. Badigeonnez l'une des faces de chaque rond à l'huile d'olive.

4. Enfoncez-les dans de petits moules à muffins ou à tartelettes graissés. Faites cuire à 190 °C (therm. 5-6). Sortez les moules du four et démoulez les fonds de tartelettes, puis laissez-les refroidir.

Rouleaux de printemps (voir page 31)

1. Recouvrez le plan de travail d'un linge humide. Plongez les galettes de riz une par une dans un bol d'eau chaude. Laissez s'assouplir chaque galette 15 secondes environ.

2. Étalez une galette ramollie sur le linge humide. Déposez en son centre une petite quantité de garniture.

3. Repliez les bords et enroulez. Procédez de même pour chaque galette, puis couvrez-les d'un linge humide jusqu'au moment de servir.

Simple et vite fait

Amandes salées épicées

Pour 3-4 personnes
6 cuillerées à soupe d'huile végétale
450 g d'amandes entières mondées
2 cuillerées à soupe de sel
½ cuillerée à café de piment
de Cayenne moulu

Chauffez l'huile à feu doux dans une poêle. Jetez-y les amandes et faites-les dorer de 1 à 2 minutes en remuant constamment. Soyez vigilant : les amandes ont tendance à brunir très vite, au dernier moment.

Mélangez le sel et le piment de Cayenne dans un saladier. Ajoutez les amandes et mélangez bien afin de les enrober d'épices. Posez les amandes sur une plaque recouverte de papier sulfurisé et laissez-les refroidir. Servez lors de l'apéritif.

Il est possible de préparer les amandes 3 ou 4 jours à l'avance. Dans ce cas, conservez-les dans une boîte hermétique.

Olives vertes piquantes

Pour 3-4 personnes
12 cl d'huile d'olive
4 gousses d'ail pilées
2 cuillerées à soupe de vinaigre
balsamique
2 petits piments rouges épépinés
et émincés
500 g d'olives vertes entières
de bonne qualité

Dans une terrine, mélangez l'huile, l'ail, le vinaigre et les piments. Ajoutez les olives et remuez bien pour obtenir un bon enrobage. Couvrez et laissez mariner une nuit au réfrigérateur. Égouttez avant de servir.

Les olives se conservent 2 ou 3 jours dans leur marinade. Couvrez le récipient et laissez-le au réfrigérateur.

Légumes croustillants

Pour 6-8 personnes
1,5 l d'huile végétale
3 patates douces épluchées
4 pommes de terre épluchées
4 panais épluchés
3 betteraves rouges épluchées
5 cuillerées à café de sel

Dans une friteuse ou une grande sauteuse à fond épais, faites chauffer l'huile jusqu'à 190 °C. Fiez-vous au thermomètre de votre friteuse, ou plongez un croûton de pain dans l'huile : il doit dorer en grésillant. Préparez une seule variété de légumes à la fois, en gardant les betteraves pour la fin car elles colorent l'huile de cuisson : émincez-les en fines lamelles à l'aide d'un couteau éplucheur.

En procédant par bains successifs, plongez par poignées les légumes émincés dans l'huile de friture. Ils seront dorés en 1 minute environ. Retirez-les à l'aide d'une écumoire et laissez-les égoutter sur du papier absorbant.

Saupoudrez généreusement de sel et servez immédiatement.

CONSEIL Préparez juste avant de servir.

Petits toasts au parmesan

Pour 30 toasts environ
**10 tranches de pain de mie
huile d'olive pour badigeonner
125 g de parmesan fraîchement râpé
sel**

Préchauffez le four à 200 °C (therm. 6). Avec des emporte-pièce, découpez plusieurs motifs dans chacune des tranches de pain de mie. Badigeonnez-les sur une face avec l'huile d'olive et déposez-les, face hui-lée vers le haut, sur une plaque de cuisson recouverte de papier sulfurisé. À l'aide d'une cuillère, recouvrez les toasts de parmesan râpé, puis saupou-drez-les de sel.

Faites dorer les toasts dans le four préchauffé (de 7 à 10 minutes). Surveillez bien la cuisson, car ils bru nissent très rapidement.

Servez chaud, tiède ou à tempéra-ture ambiante.

CONSEIL Les toasts se conservent 2 jours dans un récipient hermétique ou 1 mois au congélateur.

Tuiles de parmesan

Pour 20 tuiles environ
300 g de parmesan fraîchement râpé

Préchauffez le four à 180 °C (therm. 4-5). Déposez des tas de fromage de la grosseur d'une cuillerée à soupe sur une plaque recouverte de papier sulfurisé, en les espaçant car le fromage va s'étaler en fondant. Aplatissez les tas pour en faire des galettes d'environ 5 cm de diamètre, ou de l'épaisseur d'une feuille de papier. Faites dorer de 8 à 10 minutes puis sortez la feuille de cuisson. Avec une spatule métallique, détachez les galettes de la feuille et déposez-les sur un rouleau à pâtisserie ou tout autre objet cylindrique, que vous aurez auparavant tapissé de papier sulfurisé. Laissez refroidir.

Servez tiède.

Crostini au chorizo

Pour 24 crostini
2 baguettes de pain
4 chorizos
petites piques en bois

Débitez les baguettes en 24 tranches

d'environ 1 cm d'épaisseur. Passez-les au grille-pain ou sous le gril du four pour les rendre dorées et croustillantes. Débitez chaque saucisse en 6 rondelles d'environ 1 cm.

Faites chauffer une poêle anti-adhésive sur feu moyen puis déposez-y les rondelles de chorizo. Laissez-les frire 4 minutes environ, pour qu'elles soient cuites à cœur et légèrement dorées. Fixez chaque rondelle sur un toast avec une pique.

Servez immédiatement.

Pommes de terre en chemise aux œufs de lump

Pour 24 pommes de terre
3 cuillerées à soupe d'huile d'olive
2 gousses d'ail pilées
3 cuillerées à café de sel
24 petites pommes de terre nouvelles, grattées
15 cl de crème aigre ou de crème fraîche
30 g d'œufs de lump

Préchauffez le four à 200 °C (therm. 6). Mélangez l'huile, l'ail et le sel dans un saladier. Roulez les pommes de terre dans cette préparation. Couvrez le fond d'un plat à gratin de papier sulfurisé et placez-y les pommes de terre. Laissez cuire de 20 à 25 minutes, en remuant de temps à autre. Les pommes de terre doivent être dorées et tendres (vérifiez avec la pointe d'un couteau). Retirez le plat du four et laissez tiédir 5 minutes.

À l'aide d'un couteau bien affûté, entaillez les pommes de terre en croix et pressez délicatement pour écarter les bords de l'entaille. Déposez les pommes de terre sur le plat de service, puis chapeautez-les d'une cuillerée à café de crème fraîche. Décorez avec les œufs de lump.

Servez sans attendre.

Dips et trempettes

Terrine de truite fumée

Pour 10 personnes
15 g de beurre
1 bouquet de ciboulette coupée menu
2 truites fumées
3 œufs durs
1 cuillerée à café de sauce thaï
3 cuillerées à soupe de bonne
mayonnaise

le jus d'un citron
sel et poivre du moulin

POUR LES TOASTS
6 pains pita
huile d'olive pour badigeonner
mélange de graines de pavot et de
sésame, et/ou poivre noir concassé

Dans une petite casserole, faites fondre le beurre à feu moyen. Ajoutez la ciboulette et laissez cuire 1 minute, puis retirez du feu et réservez. Ôtez la peau des truites et prélevez-en délicatement la chair. Passez-la au mixer avec les œufs, la sauce pimentée, la mayonnaise et le jus de citron, jusqu'à obtention d'une pâte homogène. Salez et poivrez. Transférez dans une terrine et incorporez le mélange de beurre et de ciboulette. Gardez au frais jusqu'au moment de servir.

Servez très frais, accompagné de toasts préparés avec les pains pita.

Pour les toasts : Préchauffez le four à 190 °C (therm. 5-6). Découpez les pitas en triangles. Badigeonnez légèrement à l'huile d'olive et placez les triangles, face huilée sur le dessus, en une seule couche sur la plaque de cuisson tapissée de papier sulfurisé. Parsemez de graines et/ou de poivre noir concassé. Enfournez et laissez dorer de 6 à 8 minutes.

Servez chaud ou froid.

CONSEIL Cette terrine se conserve 24 h au réfrigérateur, dans un récipient couvert.

Ramequins de crevettes

Pour 10 personnes
200 g de beurre doux
1 kg de crevettes roses décortiquées
et parées
15 cl d'huile d'olive
½ cuillerée à café de poivre blanc
le jus d'un citron vert

1 bouquet de basilic (soit 30 g
de feuilles) grossièrement haché
sel

POUR LES TOASTS
12 tranches de pain complet
huile d'olive pour badigeonner

Clarifiez le beurre en le faisant fondre à feu très doux. Retirez la casserole du feu. Ôtez à la cuillère la partie liquide et laissez les particules solides dans la casserole. Passez les crevettes et l'huile d'olive au mixer, jusqu'à obtention d'une pommade lisse. Ajoutez le sel, le poivre, le jus de citron vert et le basilic puis mixez encore 30 secondes.

Transvasez la pommade dans deux grands ramequins ou terrines de 40 cl. À la cuillère, déposez un peu de beurre clarifié sur le dessus. Laissez les ramequins 1 heure au réfrigérateur. Servez avec des triangles de pain complet grillé.

Préparez les toasts de pain complet : Préchauffez le four à 200 °C (therm. 6). Retirez les croûtes et badigeonnez chacune des tranches d'un peu d'huile d'olive avant de les découper en 4 triangles. Placez-les, côté huilé sur le dessus, en une seule couche sur la plaque de cuisson recouverte de papier sulfurisé. Le pain sera bien doré et croustillant en 7 minutes environ.

CONSEIL Vous pouvez préparer les ramequins de crevettes la veille. Couvrez-les et conservez-les au réfrigérateur. Gardez les toasts dans un récipient hermétique.

Curry crémeux à la mangue

Pour 4-6 personnes
1 cuillerée à soupe d'huile végétale
1 oignon finement haché
1 cuillerée à café de curry en poudre
300 g de yaourt nature
2 cuillerées à soupe de chutney à la mangue
assortiment de crudités et mini-puppodums (ou pappadams)

Sur feu moyen, faites chauffer l'huile dans une petite poêle. Faites revenir l'oignon 1 minute environ, ajoutez le curry et laissez cuire 1 minute supplémentaire, pour qu'il dégage tout son arôme. Retirez la poêle du feu et laissez tiédir. Incorporez délicatement le yaourt et le chutney. Transvasez dans une terrine et disposez-la au centre d'un plateau. Entourez-la de feuilles d'endives, de bâtonnets de carotte, concombre et céleri, de petits piments doux, d'asperges et de bouquets de chou-fleur blanchis. Les poppadums se préparent à la poêle ou au four à micro-ondes, selon les instructions portées sur l'emballage.

CONSEIL Préparez cette recette la veille, couvrez et placez au réfrigérateur.

Purée de soissons
et toasts aux herbes

Pour 10 personnes
2 gousses d'ail, hachées
1 petit oignon rouge haché
300 g de haricots soissons rincés et égouttés
2 cuillerées à soupe de persil frais haché
1 cuillerée à soupe d'huile d'olive
le jus d'un demi-citron
sel et poivre du moulin
1 cuillerée à café d'huile d'olive vierge extra

POUR LES TOASTS
1 fougasse, découpée en tranches fines
huile d'olive, pour badigeonner
20 g d'herbes hachées de votre choix : romarin, thym, persil, aneth...
sel

Placez l'ail, l'oignon et les haricots dans le mixer et faites-en une pommade. Ajoutez le persil, l'huile et le jus de citron, puis mixez encore 10 secondes. Salez et poivrez. Transférez le mélange dans un saladier ou deux bols. Couvrez et laissez au réfrigérateur jusqu'au moment de servir. Ajoutez enfin un filet d'huile d'olive vierge extra.

Présentez avec les toasts aux herbes.

Préparez les toasts aux herbes : Préchauffez le four à 200 °C (therm. 6). Badigeonnez d'huile d'olive les tranches de fougasse sur une seule face, parsemez généreusement d'herbes hachées, puis ajoutez une pincée de sel. Enfournez et laissez dorer 7 minutes environ.

Servez chaud ou à température ambiante.

CONSEIL Couvrez et placez dans le réfrigérateur si vous préparez cette recette la veille. Placez les toasts dans une boîte hermétique.

Rouleaux et aumônières

Rouleaux hollandais

Pour 20 rouleaux

10 asperges

25 cl de sauce hollandaise toute prête
(rayon frais ou épices)

10 fines tranches de jambon cuit

POUR LES CRÊPES

150 g de farine

1 bonne pincée de sel

2 œufs

2 jaunes d'œufs

30 cl de lait

1 cuillerée à soupe de beurre fondu

beurre fondu pour la cuisson

Préparez les crêpes : tamisez la farine et le sel dans une jatte. Faites un puits au milieu. Dans un second récipient, mélangez les œufs, les jaunes d'œufs, le lait et le beurre fondu. Versez cette préparation dans le puits de farine et remuez avec une cuillère en bois ou un batteur à œufs jusqu'à obtention d'une pâte lisse. Transvasez dans un pichet, couvrez et laissez reposer au frais 30 minutes.

Graissez le fond d'une poêle ou d'une crêpière de 20 cm de diamètre avec du beurre fondu. Chauffez-la 1 minute à feu modéré puis versez une petite quantité de pâte. Faites tourner la poêle pour bien tapisser le fond d'une fine épaisseur de pâte. Laissez-la s'affermir 3 minutes sur feu moyen. Soulevez le bord avec une spatule, lorsque le dessous de la crêpe est bien doré, retournez-la et faites dorer l'autre face. Procédez de même pour les autres crêpes. Empilez-les sur une assiette, en intercalant du papier sulfurisé.

Recoupez toutes les asperges à 20 cm de longueur. Faites-les blanchir 2 minutes. Égouttez-les avant de les refroidir sous un filet d'eau fraîche puis essuyez-les délicatement avec du papier absorbant.

Garnissez une crêpe après l'autre : étalez 1 cuillerée à soupe de sauce hollandaise, recouvrez d'une tranche de jambon puis déposez une asperge sur un bord. Enroulez le tout en serrant puis coupez en biais le rouleau en deux tronçons. Procédez de même pour les crêpes suivantes.

CONSEIL Vous pouvez préparer les crêpes 6 heures à l'avance.

Feuilles d'automne

Pour 8-10 parts
4 endives
250 g de ricotta
3 cuillerées à soupe de persil frais
  haché
3 cuillerées à soupe d'aneth frais haché
1 gousse d'ail pilée
poivre du moulin
cerneaux de noix pour le décor

Séparez les feuilles des endives, rincez-les puis épongez-les dans du papier absorbant. À l'aide d'une fourchette ou d'une cuillère en bois, mélangez dans un bol ricotta, persil, aneth, ail et poivre. Déposez une cuillerée de ce mélange dans chaque feuille d'endive, en faisant attention aux quantités : les feuilles sont fragiles. Servez-les décorées de cerneaux de noix.

CONSEIL Préparez la garniture 2 heures à l'avance. Déposez-la sur les feuilles d'endives au dernier moment.

Melons enrubannés

Pour 48 parts
½ **melon cantaloup**
½ **melon d'eau**
24 fines tranches de jambon de Parme
48 petites piques en bois

Retirez les graines de chaque demi-melon à la cuillère. Divisez les demi-melons en 6 parts, puis ôtez-en la peau. Enroulez 1 ou 2 tranches de jambon de Parme autour de chaque part, et assemblez par 4 piques.

Recoupez chaque part en 4 bouchées. Couvrez et réfrigérez.
Servez très frais.

VARIANTE Remplacez le melon par des figues fraîches coupées en quartiers et un peu de poivre du moulin.

CONSEIL Préparez 2-3 heures à l'avance et gardez au frais. Pour éviter tout dessèchement, melon et figue doivent être bien recouverts par le jambon.

Samossas de crevettes au tarama

Pour 16 samossas
8 feuilles de phyllo ou de brick
80 g de beurre fondu
16 grosses crevettes roses,
   décortiquées (en laissant la queue)
   et nettoyées
1 bol de tarama

Préchauffez le four à 200 °C (therm. 6). Étalez une feuille de phyllo sur le plan de travail (couvrez les feuilles en attente d'un linge humide pour qu'elles ne sèchent pas). Badigeonnez de beurre fondu. Superposez une deuxième feuille et badigeonnez de nouveau. Avec un couteau bien aiguisé ou des ciseaux, découpez cette double feuille en quatre longs rubans. Déposez une cuillerée à café de tarama à l'extrémité de chacun des rubans de pâte, puis une crevette. Repliez la pâte en triangle pour envelopper la garniture (ramenez un des angles sur le bord opposé), en laissant la queue de la crevette dépasser d'un des angles. Continuez ainsi jusqu'à recouvrir totalement la crevette. Procédez de même pour les autres samossas.

Déposez les samossas sur la plaque de cuisson tapissée de papier sulfurisé. Badigeonnez de beurre fondu.

Enfournez et laissez dorer 10 minutes environ.

Servez sans attendre.

Tarama

½ petit oignon blanc
60 g de mie de pain blanc rassis,
   émiettée
1 cuillerée à soupe de jus de citron
   filtré
10 cl d'huile d'olive
1 gousse d'ail pilée
1 jaune d'œuf
60 g d'œufs de cabillaud

Râpez l'oignon puis pressez-le fortement au travers d'une passoire très fine, afin d'en recueillir le jus. Dans une jatte, mélangez 2 cuillerées à café de jus d'oignon, la mie de pain, le jus de citron et l'huile d'olive. Laissez reposer afin que le pain ramollisse, 15 minutes environ. Ajoutez l'ail et fouettez au batteur électrique. Tout en battant, incorporez le jaune d'œuf, puis, petit à petit, les œufs de poisson, pour obtenir une mousse légère. Si le mélange est trop consistant, ajoutez un peu de jus de citron.

Rouleaux au canard laqué

Pour 48 rouleaux environ
1 canard laqué
12 brins de ciboule (voir en page 9
   pour la découpe en pinceau)
4 carottes, épluchées et détaillées
   en julienne

4 galettes de froment
48 petites piques en bois
15 cl de sauce hoisin,
   pour l'accompagnement

Décarcassez le canard pour n'en conserver que la chair. Découpez la peau et la chair en morceaux de 2-3 cm.

Retirez la partie racinée de brins de ciboule et détaillez-les en tronçons de 3 cm. À l'aide de ciseaux ou d'un couteau bien aiguisé, effrangez-les à chaque extrémité. Laissez-les friser dans un bol d'eau glacée, avec les carottes. Gardez au frais jusqu'au moment de servir.

Réchauffez les galettes 1 minute dans le four à micro-ondes, ou 10 minutes dans le four à 140 °C (therm. 4), enveloppées de papier aluminium. Avec des ciseaux, découpez-les en rubans de 10 x 2 cm.

Disposez les rubans à plat sur le plan de travail. Déposez un peu de viande sur chaque ruban, ainsi qu'un friselis de ciboule, 4 ou 5 bâtonnets de carottes et un trait de sauce hoisin. Enroulez et épinglez chaque ruban à l'aide d'une pique en bois.

Servez accompagné d'un bol de sauce hoisin.

CONSEIL Préparez les ingrédients 2 heures à l'avance. Assemblez juste avant de servir.

Rouleaux de printemps

Pour 16 rouleaux
50 g de vermicelles chinois
80 g de carottes détaillées en julienne
80 g de courgettes détaillées
en julienne
80 g de poivron rouge détaillés
en julienne
6 brins de ciboule détaillés en julienne
le jus d'un citron
2 cuillerées à soupe de sauce
de poisson
1 cuillerée à café de gingembre frais,
râpé

3 cuillerées à soupe de coriandre
fraîche, hachée
2 cuillerées à soupe de sauce thaï
3 cuillerées à soupe de feuilles entières
de coriandre fraîche
16 galettes de riz de 15 cm de diamètre
16 grosses crevettes cuites
décortiquées et nettoyées
16 brins de ciboulette
15 cl de sauce thaï ou de sauce soja,
en accompagnement

Placez les vermicelles dans un bol résistant à la chaleur et couvrez-les d'eau bouillante. Laissez-les ramollir 10 minutes et égouttez-les.

Dans une jatte, mélangez les carottes, les courgettes, le poivron, la ciboule, le jus de citron, la sauce de poisson, le gingembre et la coriandre hachée. Laissez reposer 10 minutes. Égouttez bien et transférez dans un bol. Ajoutez la sauce thaï et les feuilles de coriandre. Mélangez à nouveau.

Remplissez un récipient d'eau chaude et posez du papier absorbant sur le plan de travail. Plongez une galette de riz dans l'eau chaude et sortez-la au bout de 15 secondes. Étalez-la sur le papier absorbant. Déposez une cuillerée à soupe du mélange de légumes au centre de la galette, puis surmontez d'un peu de vermicelles, d'une crevette et d'un brin de ciboulette. Roulez le tout en cylindre. Recouvrez les rouleaux d'un linge humide afin d'éviter qu'ils ne se dessèchent.

Servez avec un bol de sauce thaï ou de sauce soja.

Des mezé aux tapas

Rasades glacées de gaspacho

Pour 16 verres d'environ 5 cl
1 concombre
½ oignon rouge haché
1 tomate bien mûre hachée menu
½ poivron rouge épépiné et haché
½ poivron vert épépiné et haché
1 litre de jus de tomate
1 cuillerée à café de sucre en poudre
3 cuillerées à soupe de vin blanc sec
3 gousses d'ail pilées

Coupez le concombre en deux dans le sens de la longueur. Retirez les graines à la petite cuillère. Hachez menu l'une des moitiés du concombre. Détaillez l'autre moitié en fines lamelles, pour la garniture. Couvrez et réservez.

Dans un bol, mêlez le concombre haché, l'oignon, la tomate et les poivrons.

Dans un pichet, mélangez le jus de tomate, le sucre, le vin blanc et l'ail. Laissez au moins 2 heures au réfrigérateur.

Au moment de servir, versez le jus de tomate dans des verres à liqueur puis ajoutez un peu du mélange de légumes. Décorez chaque verre d'une fine rondelle de concombre.

CONSEIL Préparez cette recette 6 heures à l'avance.

Fleurs de courgettes aux anchois

Pour 8 fleurs
120 g de farine
une pincée de sel
1 œuf
1 cuillerée à soupe d'huile d'olive
10 cl de bière

1 cuillerée à soupe d'herbes fraîches
  hachées
8 petites fleurs de courgettes
8 filets d'anchois égouttés
80 cl d'huile de friture
sel

Mettez la farine et une pincée de sel dans le bol du mixer. Ajoutez l'œuf, l'huile, la bière et les herbes. Mixez 10 secondes environ. Transvasez dans une jatte, couvrez et laissez reposer 10 minutes. Pendant ce temps, rincez les fleurs de courgette puis coupez les tiges à 2 ou 3 cm des fleurs, pour que les pétales ne se détachent pas dans la friture. Ouvrez délicatement les corolles et insérez un filet d'anchois dans chacune d'entre elles. Pressez les pétales pour les refermer.

Préchauffez le four à 110 °C (therm. 2-3). Chauffez l'huile dans la friteuse ou dans une grande sauteuse à fond épais, jusqu'à la température de 190 °C. Fiez-vous au thermomètre de votre friteuse, ou jetez un morceau de pain dans l'huile : il doit dorer en grésillant. Par bains successifs, plongez les fleurs de courgettes dans la pâte puis faites-les dorer 1 minute environ, pour qu'elles soient bien croustillantes. Laissez-les s'égoutter sur du papier absorbant. Tenez au chaud dans le four préchauffé pendant les fritures successives.

Salez et servez sans attendre.

CONSEIL À déguster immédiatement après cuisson. Vous pouvez cependant préparer la pâte 30 minutes à l'avance (ajoutez un peu de bière si elle a épaissi).

Thon en sauce verte

Pour 8 parts
500 g de thon, en tranches de 2 cm
le zeste d'un citron
2 cuill. à soupe d'huile d'olive vierge
extra
3 gousses d'ail pilées
POUR LA SAUCE VERTE
2 filets d'anchois à l'huile
100 g d'olives vertes dénoyautées
et hachées
1 gousse d'ail pilée
2 cuill. à soupe de persil plat haché
1 cuill. à soupe de vinaigre de vin blanc
1 cuill. à soupe de jus de citron
6 cuill. à soupe d'huile d'olive vierge
extra
piques cocktail

Placez le thon dans un saladier en verre ou en céramique. Dans un bol, mélangez le zeste, l'huile et l'ail. Versez sur le thon, couvrez et réfrigérez 2 heures.

Pendant ce temps, préparez la sauce : pilonnez les filets d'anchois dans une terrine, puis ajoutez les olives, l'ail, le persil, le vinaigre, le jus de citron et l'huile. Mélangez bien, couvrez et réfrigérez jusqu'au moment de servir.

Préchauffez le gril du four ou préparez un barbecue. Retirez le thon de la marinade et faites-le cuire 1 minute de chaque côté, le cœur de la tranche devant rester rose. Ôtez du feu et laissez refroidir.

À l'aide d'un couteau très aiguisé, coupez les tranches de thon en dés de 3 cm. Traversez-les d'une pique.

Déposez 1 cuillerée à café de sauce verte sur chaque cube et servez. Présentez avec un bol contenant le reste de la sauce.

CONSEIL Meilleur dégusté juste après cuisson. Le thon peut mariner toute une nuit. La sauce se prépare jusqu'à 1 jour à l'avance.

Frittata aux asperges

Pour 24 parts
750 g d'asperges
6 œufs battus
250 g de fromage frais
3 cuillerées à soupe de farine
3 cuillerées à soupe de parmesan frais râpé
1 cuillerée à soupe d'aneth frais haché
2 cuillerées à soupe de persil plat haché
sel et poivre du moulin

Préchauffez le four à 175 °C (therm. 4). Égalisez les asperges à 20 cm de longueur. Tapissez de papier sulfurisé un moule carré de 20 x 20 cm, assez profond. Alignez-y les asperges, en alternant les pointes et les queues (mais toutes dans le même sens).

Mettez les œufs, le fromage frais, la farine, le parmesan, l'aneth, le persil, du sel et du poivre dans le bol du mixer. Mixez jusqu'à obtention d'une pâte lisse. Renversez cette pâte sur les asperges et faites prendre 50 à 55 minutes au four. Sortez le plat du four et laissez-le refroidir. Divisez la frittata en 24 portions.

Servez frais ou à température ambiante.

CONSEIL Préparez ce mets 1 jour à l'avance. Couvrez et gardez au frais.

Piques et brochettes

Poulet yakitori

Pour 10 parts
10 brochettes de bambou
12 cl de sauce soja
12 cl de saké ou de xérès
2 cuillerées à café de sucre
1 cuillerée à soupe de gingembre frais râpé
2 cuillerées à soupe de ciboulette ciselée
1 kg de blancs de poulet
12 brins de ciboule débarrassés de leurs feuilles
huile d'olive pour badigeonner
12 cl de sauce soja, en accompagnement

Faites tremper les brochettes de bambou 10 minutes dans l'eau froide, et essuyez-les. Dans un bocal à couvercle hermétique, mélangez la sauce soja, le saké, le sucre, le gingembre et la ciboulette.

Débarrassez les blancs de poulet de leurs membranes et parties grasses. Coupez-les en dés de 4 cm environ. Déposez-les dans un saladier en verre ou en céramique, ajoutez la marinade, couvrez et réfrigérez 1 heure.

Préchauffez le gril du four ou préparez un barbecue.

Détaillez les brins de ciboule en tronçons de 5 cm. Essuyez le poulet et enfilez les dés sur les brochettes, en alternant avec la ciboule. Badigeonnez le tout à l'huile d'olive et faites dorer 5 minutes de chaque côté.

Servez chaud, accompagné d'un bol de sauce soja.

CONSEIL Préparez 2 heures à l'avance : vous n'avez plus qu'à cuire avant de servir.

Dés de polenta au jambon de Parme

Pour 10 parts
350 g de polenta précuite
3 cuillerées à soupe de persil plat haché
3 gousses d'ail pilées
3 cuillerées à soupe de parmesan fraîchement râpé
60 g de beurre doux
10 petites brochettes de bambou
20 fines tranches de jambon de Parme
3 cuillerées à soupe de parmesan râpé pour le décor

Préchauffez le four à 190 °C (therm. 5-6). Préparez la polenta en suivant les instructions portées sur l'emballage. Lorsqu'elle est presque cuite, ajoutez en tournant le persil, l'ail, le parmesan et le beurre. Renversez la polenta dans un plat à gratin d'environ 30 x 20 cm préalablement huilé. Égalisez la surface à l'aide d'une spatule. Laissez refroidir 1 heure environ.

Faites tremper les brochettes de bambou 10 minutes dans de l'eau froide puis essuyez-les.

Retournez le plat de polenta sur le plan de travail et découpez-la en dés de la taille d'une bouchée. Enrubannez chaque dé d'une tranche de jambon de Parme puis piquez-les deux par deux sur une brochette de bambou. Déposez les brochettes sur une plaque de cuisson recouverte de papier sulfurisé. Enfournez pour 20 minutes environ, afin que le jambon soit doré et croustillant.

Servez chaud, parsemé de parmesan râpé.

Brochettes crues Méditerranée

Pour 24 brochettes
24 tomates cerises
sel et poivre du moulin
24 perles de mozzarella
24 feuilles de basilic
24 petites piques de bambou
huile d'olive vierge extra

Coupez les tomates cerises en deux, salez et poivrez les. Procédez à l'assemblage : enfilez une demi-tomate sur une pique, puis une perle de mozzarella, une feuille de basilic, et terminez par l'autre demi-tomate. Faites de même pour les autres brochettes.

Servez arrosé d'un filet d'huile d'olive.

CONSEIL Préparez 2 à 3 heures avant de servir et gardez au frais. Arrosez d'huile d'olive au dernier moment.

Crevettes piquantes

Pour 10 parts
10 cuillerées à soupe d'huile d'olive
2 cuillerées à soupe de gingembre frais râpé
2 gousses d'ail pilées
2 bâtonnets de citronnelle pilés
1 petit piment rouge épépiné et haché
le jus de deux citrons ou citrons verts
4 cuillerées à soupe de fines herbes hachées, au choix
2 kg de grosses crevettes décortiquées et nettoyées
2 cuillerées à soupe d'huile d'olive pour la cuisson
20 petites piques (en bambou)
quartiers de citron ou de citron vert

Dans un saladier, mélangez l'huile d'olive, le gingembre, l'ail, la citronnelle, le piment, le jus de citron et les fines herbes. Ajoutez les crevettes et remuez pour les imprégner de marinade. Recouvrez le saladier de film alimentaire et laissez-le 1 heure au réfrigérateur.

Dans une poêle, faites chauffer 2 cuillerées à soupe d'huile à feu modéré. Égouttez les crevettes. Faites-les frire par petites quantités, jusqu'à ce qu'elles changent de couleur (2-3 minutes).

Enfilez les crevettes sur les brochettes, accompagnées de quartiers de citron.

CONSEIL Servez sans attendre.

Boulettes d'agneau à l'orientale

Pour 24 boulettes
500 g d'agneau haché
1 cuillerée à soupe de persil plat haché
1 cuillerée à soupe de menthe fraîche
   hachée
3 gousses d'ail pressées
2 cuillerées à soupe de chapelure

sel et poivre du moulin
2 cuillerées à soupe d'huile végétale
400 g de pommes de terre de calibre
   moyen
2 cuillerées à soupe d'huile d'olive
24 feuilles de menthe
24 petites brochettes de bambou

Dans une terrine, mélangez la viande, le persil, la menthe, l'ail, la chapelure, du sel et du poivre. Mouillez-vous les mains et malaxez la préparation jusqu'à ce qu'elle soit homogène. Façonnez 24 petites boulettes environ. Chauffez l'huile végétale dans une poêle à feu moyen. Faites revenir les boulettes au fur et à mesure : comptez 10 minutes environ pour les brunir de toutes parts, en secouant régulièrement la poêle. Déposez les boulettes sur du papier absorbant.

Préchauffez le four à 220 °C (therm. 7).

Détaillez les pommes de terre en quartiers de la taille d'une bouchée, ou en dés de 2-3 cm. Passez-les à l'huile d'olive, salez et poivrez. Posez-les sur la plaque de cuisson recouverte de papier sulfurisé et laissez-les dorer au four de 15 à 20 minutes.

Alternez une boulette de viande, une feuille de menthe et un quartier ou dé de pomme de terre sur chaque brochette.

Mises en bouche

Petits blinis aux œufs de saumon

Pour 24 blinis environ
200 g de farine avec levure incorporée
1 pincée de bicarbonate de soude
1 œuf battu
20 cl de lait
1 cuillerée à soupe d'oignon blanc râpé
sel et poivre du moulin
2 cuillerées à soupe de beurre fondu
12 cl de crème fraîche ou fleurette
120 g d'œufs de saumon

Mixez ensemble la farine, le bicarbonate, l'œuf et le lait jusqu'à l'obtention d'une pâte. Transférez dans une jatte et ajoutez l'oignon râpé, le sel et le poivre. Mélangez bien. Couvrez et laissez reposer 10 minutes.

Faites chauffer une poêle à feu moyen puis badigeonnez-la de beurre fondu. À l'aide d'une cuillère à soupe, laissez tomber de petites quantités de pâte dans la poêle chaude. Faites dorer 1 minute de chaque côté. Retirez les blinis et laissez-les refroidir.

Au moment de servir, déposez sur chaque blini un peu de crème fraîche et quelques œufs de saumon.

CONSEIL Les blinis se conservent 3 semaines au congélateur. Variez les plaisirs en remplaçant les œufs de saumon par du saumon fumé ou des pointes d'asperges.

Scones au cerfeuil

Pour 16 scones environ
250 g de farine avec levure incorporée
15 g de beurre en petits dés
1 cuillerée à soupe d'oignon blanc râpé
2 cuillerées à soupe de cerfeuil frais
haché

une pincée de sel
1 yaourt
125 g de crème fraîche allégée, épaisse
100 g de saumon fumé découpé
en lanières de 1 cm
brins de cerfeuil pour le décor

Préchauffez le four à 220 °C (therm. 7). Mettez la farine dans une jatte. Du bout des doigts, travaillez-la avec le beurre pour obtenir une consistance sableuse. Ajoutez l'oignon, le cerfeuil haché et le sel, puis le yaourt afin que la pâte devienne épaisse et collante. Renversez cette pâte sur un plan de travail fariné. Étalez-la à la main ou au rouleau pour obtenir une épaisseur de 2 cm. Découpez des cercles de 5 cm de diamètre à l'emporte-pièce. Déposez les scones sur une plaque de cuisson recouverte de papier sulfurisé. Faites dorer de 12 à 15 minutes. Sortez la plaque du four et retournez les scones sur un torchon propre et sec. Repliez-le sur les scones et réservez jusqu'au moment de servir.

Pour servir : partagez horizontalement chaque scone en deux moitiés. Déposez un peu de crème fraîche sur chaque moitié, et décorez avec le saumon et les brins de cerfeuil.

Servez sans attendre.

CONSEIL Congelez les scones après la phase de cuisson : ils se conservent 3 semaines.

Mini-pissaladières

Pour 24 pissaladières
2 rouleaux de pâte feuilletée
6 cuillerées à soupe d'huile d'olive
750 g d'oignons jaunes finement émincés
60 g de filets d'anchois
120 g d'olives noires
24 petites feuilles de basilic pour décorer

Préchauffez le four à 180 °C (therm. 4-5). Déployez les feuilles de pâte feuilletée sur un plan de travail fariné. Découpez 24 cercles de 5 cm de diamètre à l'emporte-pièce. Déposez les cercles sur la plaque de cuisson tapissée de papier sulfurisé et recouvrez le tout d'un film plastique pendant la cuisson des oignons.

Faites chauffer l'huile à feu moyen dans une poêle à fond épais. Jetez-y les oignons et faites-les revenir 10 minutes, jusqu'à ce qu'ils deviennent souples et légèrement bruns. Retirez la poêle du feu et laissez refroidir.

Garnissez les cercles de pâte avec les oignons. Partagez chaque filet d'anchois en deux dans le sens de la longueur, que vous disposerez en croix sur les pissaladières. Coupez les olives en petits quartiers et décorez-en chaque angle formé par les croix. Enfournez et faites dorer de 7 à 10 minutes.

Servez chaud, agrémenté de feuilles de basilic.

CONSEIL Si les oignons se préparent sans dommage deux heures à l'avance, mieux vaut cuire le tout juste avant de servir.

Croustades
à la tomate confite

Pour 30 croustades
15 tranches épaisses de pain de mie
huile d'olive pour badigeonner
120 g de tomates séchées à l'huile, égouttées et hachées
120 g de parmesan fraîchement râpé
300 g de ricotta
2 cuillerées à soupe de persil frais haché
sel et poivre du moulin
brins de basilic, de persil ou de thym, pour décorer

Préchauffez le four à 190 °C (therm. 5-6). Retirez la croûte du pain à l'aide d'un couteau denté. Passez le rouleau à pâtisserie sur les tranches de pain pour les aplatir. Taillez des cercles de 5 cm de diamètre à l'emporte-pièce, et badigeonnez-les d'huile sur une face. Pressez ces cercles de pain de mie dans de petits moules à tartelettes, côté huilé sur le dessus. Faites dorer de 5 à 7 minutes au four. Sortez les tartelettes croustillantes et laissez-les refroidir.

Pendant la cuisson des fonds de tartelettes, préparez la garniture. Dans un récipient, mélangez les tomates séchées, le parmesan, la ricotta, le persil, le sel et le poivre.

À la cuillère, remplissez les tartelettes de ce mélange puis décorez de brins d'herbes aromatiques.

CONSEIL Préparez les fonds de tartelettes à l'avance : vous les conserverez 1 mois au congélateur ou 1 semaine dans une boîte hermétique. La garniture peut être réalisée 2 heures avant de servir : couvrez-la avant de la mettre au réfrigérateur.

Mini-muffins aux herbes

Pour 12 muffins
80 g de farine
80 g de Maïzena
1 cuillerée à café de levure
1 pincée de sel
poivre du moulin
2 cuillerées à soupe de beurre fondu
1 œuf battu
3 cuillerées à soupe de lait
1 petit piment rouge épépiné et haché

1 cuillerée à soupe de coriandre fraîche
hachée
1 cuillerée à soupe de basilic frais
haché
POUR LE BEURRE AROMATISÉ
120 g de beurre ramolli
1 gousse d'ail pilée
2 cuillerées à soupe de basilic frais
haché
1 cuillerée à café de jus de citron vert

Préchauffez le four à 180 °C (therm. 4-5). Tamisez la farine. Ajoutez la Maïzena, la levure, le sel et le poivre. Pratiquez un puits et déposez-y beurre, œuf, lait, piment, coriandre et basilic. Travaillez le tout rapidement. Déposez un peu de pâte dans des moules à tartelettes huilés. Enfournez et faites dorer 12 minutes environ. Retirez du four, démoulez et laissez refroidir les muffins sur une grille.

Pendant ce temps, maniez longuement le beurre avec l'ail, le basilic et le jus de citron vert.

Servez les muffins chauds et fendus en leur milieu, garnis de beurre à l'ail et aux herbes.

CONSEIL Il faut déguster les muffins le jour même. Vous pouvez préparer le beurre aromatisé un jour à l'avance, couvert et au réfrigérateur.

Manchons de poulet

Pour 24 manchons
24 petites ailes de poulet
2 cuillerées à soupe d'huile végétale
3 cuillerées à soupe de sauce
d'accompagnement hoisin
4 cuillerées à soupe de sauce soja
2 cuillerées à soupe de xérès

4 gousses d'ail pilées
1 petit piment rouge épépiné et haché
3 cuillerées à café de gingembre frais
épluché et râpé
10 cl de sauce hoisin pour la table

Coupez les ailes de poulet à la pre-mière jointure. Mettez le haut des ailes de côté (pour un bouillon). Avec un couteau bien affûté, nettoyez l'arti-culation et troussez les chairs le long de l'os, pour former de petits pilons. Déposez les manchons dans un plat peu profond.

Mélangez l'huile, les 3 cuillerées à soupe de sauce hoisin, la sauce soja, le xérès, l'ail, le piment et le gin-gembre dans un bocal hermétique-ment fermé. Secouez-le pour mêler intimement tous les ingrédients. Versez sur le poulet, couvrez et laissez mariner 3 heures au réfrigérateur.

Préchauffez le four à 180 °C (therm. 4-5). Retirez les manchons de la mari-nade et déposez-les dans un plat légè-rement huilé. Enfournez pour 15 à 20 minutes de cuisson.

Servez chaud ou froid, avec un bol de sauce hoisin.

Croquettes de poisson à la coriandre

Pour 36 croquettes

500 g de filets de rougets ou de poisson
écaillé et sans arêtes

1 cuillerée à soupe de pâte de curry

1 cuillerée à soupe de sauce
de poisson

1 œuf battu

2 cuillerées à café de sucre roux

1 gousse d'ail pilée

4 feuilles de kaffir ciselées
ou 2 cuillerées à café de zeste
de citron vert

2 cuillerées à soupe de coriandre
fraîche hachée

2 brins de ciboule émincés

80 g de haricots verts découpés
en fins tronçons

3 cuillerées à soupe d'huile végétale
pour friture

12 brochettes de bambou

15 cl de sauce soja claire
(accompagnement)

quartiers de citron vert et quelques
brochettes supplémentaires

Mixez le poisson, la pâte de curry, la sauce de poisson, l'œuf, le sucre et l'ail au mixer, 20 secondes environ. Transférez cette pâte dans une terrine. Ajoutez les feuilles de kaffir, la coriandre, la ciboule et les haricots verts. Mouillez-vous les mains et malaxez les ingrédients. Façonnez 36 boulettes et aplatissez-les.

Chauffez l'huile dans une sauteuse, à feu modéré. Par poêlées successives, faites dorer les boulettes, 1 minute de chaque côté. Retirez les croquettes du feu et égouttez-les sur du papier absorbant. Disposez-les trois par trois sur chaque brochette.

Servez avec un bol de sauce soja et des quartiers de citron vert présentés sur des brochettes.

Crevettes sur canapés frais

Pour 20 canapés
2 brins de ciboule (voir page 9 pour la réalisation des friselis)
1 citron (voir page 8 pour la découpe des zestes)
1 citron vert
3 gros concombres
20 crevettes roses cuites, décortiquées et nettoyées, avec leur queue
6 cuillerées à soupe de sauce thaï

Retirez la partie racinée des brins de ciboule. Coupez-les en tronçons de 2-3 cm, puis fendez-les dans le sens de la longueur pour obtenir de longues et fines lanières. Laissez-les friser 10 minutes dans un bol d'eau glacée, puis égouttez sur du papier absorbant. Avec un zesteur, prélevez le zeste du citron et du citron vert en étroits et longs rubans. Détaillez le concombre en rondelles de 1 cm environ. Recoupez chaque rondelle avec un emporte-pièce de 4 cm de diamètre, pour obtenir des disques parfaits, déjà épluchés.

Déposez les rondelles sur le plat de service. Couronnez chacune d'elle d'une crevette, assaisonnez de quelques gouttes de sauce pimentée. Parachevez avec des frisures de cibou-le et les zestes de citron.

Pâtisseries et tartines

Toasts salés aux poires

Pour 20 toasts
½ miche de pain cuit au feu de bois
3 cuillerées à soupe d'huile d'olive, pour badigeonner
2 poires mûres mais bien fermes
10 fines tranches de jambon de Parme
120 g de roquefort ou d'un autre bleu
petites feuilles de roquette, pour le décor

Préchauffez le gril du four. Avec un couteau denté, coupez le pain en tranches fines. Retaillez les tranches pour obtenir 20 toasts. Huilez légèrement les toasts sur les deux faces et faites-les dorer sous le gril, 1 minute de chaque côté.

Détaillez les poires en tranches, dans le sens de la longueur. Recoupez-les pour les ajuster à la dimension des toasts. Badigeonnez-les d'huile et faites-les légèrement attendrir sous le gril, 1 minute de chaque côté.

Coupez les tranches de jambon en deux. Garnissez chaque toast d'une tranche de jambon et d'une tranche de poire, sur laquelle vous émietterez un peu de roquefort. Décorez d'une feuille de roquette.

CONSEIL Faites griller le pain 1 heure à l'avance. Le pain cuit au feu de bois peut être remplacé par du pain au levain ou du pain de campagne.

Toasts aux crevettes parfumées

Pour 24 toasts
12 grandes tranches de pain de mie rassis
2 brins de ciboule hachés
2 gousses d'ail pilées
1 cuillerée à café de gingembre frais râpé
250 g de crevettes, décortiquées et vidées
1 cuillerée à soupe de Maïzena
1 cuillerée à café de sauce soja
2 cuillerées à soupe de coriandre fraîche, hachée
1 jaune d'œuf
2 cuillerées à café de graines de sésame
75 cl d'huile végétale pour friture

Avec un emporte-pièce de 5 cm de diamètre, prélevez deux rondelles dans chaque tranche de pain. Broyez la ciboule, l'ail, le gingembre, les crevettes, la Maïzena, la sauce soja et la coriandre au mixer, 15 secondes environ, jusqu'à obtention d'une pâte épaisse. Badigeonnez les toasts de jaune d'œuf sur une seule face, puis tartinez-les d'une cuillerée à café de préparation aux crevettes. Parsemez de graines de sésame.

Chauffez l'huile dans la friteuse ou dans une grande sauteuse à fond épais, jusqu'à la température de 190 °C. Fiez-vous au thermomètre de votre friteuse, ou jetez un morceau de pain dans l'huile : il doit dorer en grésillant. Faites frire les toasts pendant 1 à 2 minutes, jusqu'à ce qu'ils deviennent croustillants et uniformément dorés. Laissez-les s'égoutter sur du papier absorbant. Servez sans attendre.

Bouchées provençales

Pour 24 tartelettes
2 rouleaux de pâte brisée
1 cuillerée à soupe de beurre
4 œufs battus
2 cuillerées à soupe d'herbes hachées : thym, persil, sauge, aneth et marjolaine
6 cuillerées à soupe de lait
30 g d'œufs de lump

Préchauffez le four à 190 °C (therm. 5-6). Déroulez les feuilles de pâte brisée sur le plan de travail et découpez 24 ronds à l'aide d'un emporte-pièce de 6 cm de diamètre. Garnissez-en de petits moules à tartelettes huilés. Faites dorer au four 12 minutes environ. Sortez les fonds de tartelettes du four et réservez.

Faites fondre le beurre dans une casserole et ajoutez les œufs, les herbes et le lait. Laissez cuire à feu moyen jusqu'à ébullition. Remuez doucement (6-8 fois) à la fourchette. Retirez du feu dès la prise du mélange, sinon les œufs, trop cuits, prennent une consistance caoutchouteuse. Laissez refroidir un bref instant.

Garnissez de cette préparation les fonds de tartelettes encore chauds, puis décorez avec les œufs de lump. Servez sans attendre.

CONSEIL Faites cuire les fonds de tartelettes 1 jour à l'avance. Conservez-les dans un récipient hermétique et réchauffez-les avant de servir. Ils se gardent également 1 mois au congélateur. La garniture aux œufs est meilleure si on la prépare juste avant de servir.

Toasts raclette

Pour 32 toasts
2 cuillerées à soupe d'huile d'olive
3 cuillerées à soupe de beurre ramolli
2 cuillerées à soupe de moutarde à l'ancienne
1 ciabatta ou autre pain à mie compacte
250 g de jambon cuit, en très fines tranches
120 g de fromage à raclette, en fines tranches
poivre gris du moulin
8 gros cornichons à la russe, divisés en quartiers ou 32 petits cornichons

Préchauffez le four à 200 °C (therm. 6). Mélangez l'huile, le beurre et la moutarde dans une petite terrine. Coupez le pain en tranches de 1 cm d'épaisseur environ. Pour une ciabatta, divisez auparavant la miche en quatre. Badigeonnez les tranches avec la préparation précédente, sur une seule face. Rangez-les sur la plaque de cuisson recouverte de papier sulfurisé, face beurrée sur le dessus. Laissez dorer au four de 5 à 8 minutes.

Préchauffez le gril du four. Déposez un peu de jambon sur chaque toast, puis une tranche de fromage. Faites fondre le fromage sous le gril.

Au moment de servir, donnez un tour de moulin à poivre et présentez avec les cornichons.

Glossaire

AMANDES MONDÉES Ce sont les noyaux du fruit de l'amandier, débarrassés de leur peau amère. On les trouve entières, effilées ou en poudre.

CANARD LAQUÉ Achetez un canard laqué rôti du jour chez un traiteur asiatique. Peut se garder un ou deux jours. Vous pouvez le remplacer par un poulet rôti.

CERFEUIL Plante aromatique à feuilles mousseuses, apparentée au persil et au goût anisé.

CHORIZO Saucisse espagnole épicée, aux ingrédients grossièrement hachés. À base de maigre et de gras de porc, d'ail et de paprika.

CORIANDRE Plante aromatique apparentée au persil, dont les feuilles dégagent un arôme âcre et épicé. On l'appelle parfois persil chinois ou coriandre fraîche.

CROSTINI En Italie, «petits toasts». Ce sont de petites et minces tranches de pain grillé, parfois légèrement badigeonnées à l'huile d'olive.

FEUILLES DE KAFFIR Feuilles d'un citronnier des régions tropicales, utilisées fraîches ou séchées pour parfumer certains plats asiatiques.

FILETS D'ANCHOIS Les filets d'anchois, conservés à l'huile, sont conditionnés en petits bocaux ou en boîtes métalliques. Il est préférable de les rincer à l'eau claire ou de les faire tremper 20 minutes dans un peu de lait afin d'en adoucir la saveur très salée.

GALETTES DE RIZ Ces feuilles très fines, de tailles variées, se trouvent facilement en épicerie spécialisée, et parfois au rayon produits exotiques des supermarchés. Il faut les reconstituer en les baignant 15 secondes dans de l'eau chaude.

HARICOTS SOISSONS Grosses fèves d'un blanc crémeux, traditionnellement préparées en soupes ou en salades.

ŒUFS DE LUMP Petits œufs de ce poisson des mers froides, de couleur noire, rouge ou dorée.

ŒUFS DE SAUMON Plus gros que les œufs de lump, ils sont de couleur orangée.

PÂTE DE CURRY Cet assaisonnement tout prêt, fait à partir d'ingrédients et d'épices orientales, se trouve maintenant en rayon dans la plupart des supermarchés.

PERLES DE MOZZARELLA Billes de fromage frais d'environ 2,5 cm de diamètre, baignant dans le petit-lait contenu dans l'emballage. Ce fromage légèrement acide, à la saveur de noix, se déguste souvent avec des tomates et du basilic.

PERSIL À FEUILLES PLATES Il est plus parfumé que le persil frisé. Conservez votre bouquet de persil plat 1 semaine au réfrigérateur, dans une pochette de plastique.

POLENTA Semoule de maïs, de couleur blanche à dorée, à texture sableuse et à légère saveur d'amidon. La semoule est à grain fin, moyen ou gros.

PUPPODUMS (OU PAPPADAMS) Sortes de beignets très fins et très croustillants élaborés à partir de farine de lentille, de pomme de terre ou de riz, qui accompagnent traditionnellement currys et mets indiens. Vous les trouverez, de formats et arômes variés, en épicerie spécialisée et dans la plupart des supermarchés.

ROMARIN Herbe aromatique persistante, aux feuilles en aiguilles et aux fleurs bleu pâle. Utilisez les feuilles fraîches avec parcimonie, car elles exhalent un arôme puissant.

ROQUEFORT Fromage persillé à base de lait de brebis, affiné dans les grottes calcaires du même nom, situées dans le sud de la France. Ce fromage persillé de bleu peut être remplacé par un autre fromage du même type.

SAKÉ Boisson japonaise à base de riz fermenté.

SAUCE DE POISSON À base de poisson fermenté, s'utilise avec modération pour l'assaisonnement de diverses sauces et recettes d'Asie. La sauce de poisson originaire du Viêt-nam, le nuöc-mám, en est une des nombreuses versions, que l'on peut se procurer dans toutes les grandes surfaces.

SAUCE HOISIN Sauce chinoise sirupeuse, à base de soja mélangé avec du vinaigre, du sucre, des piments et des épices variées. Un flacon de sauce hoisin se conserve indéfiniment au réfrigérateur.

SAUCE HOLLANDAISE L'une des sauces incontournables, émulsion de beurre et de jaunes d'œufs, relevée de jus de citron. Achetez-la toute prête chez un traiteur.

TORTILLA Pain non levé à base de farine de maïs ou de blé, d'origine mexicaine.

VERMICELLE(S) CHINOIS Filaments translucides élaborés à partir de farine de soja, vendus sous forme de nids compacts.

VINAIGRE BALSAMIQUE Vinaigre de saveur généreuse et corsée, de belle couleur ambrée, élaboré à partir de raisin non fermenté. Les meilleurs vinaigres, à l'instar des vins, sont assez coûteux.

Index

Photographie de couverture : Bouchées provençales, page 57
Photographie de la page 2 : Boulettes d'agneau à l'orientale, page 43
Photographie de la page 4 : Rouleaux de printemps, page 31

Édition originale :

Texte : Vicki Liley
Photographies : Louise Lister
Stylisme : Vicki Liley
Maquette : Avril Makula
Édition : Joanne Holliman
Fabrication : Sally Stokes
Coordination : Kathleen Davidson

Texte, photographies et maquette © 2003 Lansdowne Publishing Pty Ltd,
Sydney, Australie
CEO : Steven Morris

Édition française :

Traduction/adaptation : Christine Bollard
Coordination éditoriale : Philippe Brunet
Réalisation : PHB Services d'édition

© 2004 Éditions Soline, Courbevoie, France

ISBN : 2-87677-485-2
Dépôt légal : Janvier 2004

Imprimé à Singapour